II

만화 **스푼** ◆ 원안 **최롬**

Yeondam × 감영사

킹더랜드 II

1판 1쇄 인쇄 2023년 9월 26일
1판 1쇄 발행 2023년 10월 19일

만화 스푼
원안 최롬

발행처 김영사 | **발행인** 고세규
편집 손유리 | **외주 디자인** SONBOM 김지은, 박정윤 | **마케팅** 이철주 | **홍보** 조은우
등록번호 제 406-2003-036호 | **등록일자** 1979년 5월 17일
주소 경기도 파주시 문발로 197 (우10881)
전화 마케팅부 031-955-3100 | **편집부** 031-955-3113-20 | **팩스** 031-955-3111

© 스푼, 최롬. 2023 / (주)카카오엔터테인먼트 X (주)앤피오엔터테인먼트 X (주)바이포엠스튜디오 X (주)에스엘엘중앙

값은 표지에 있습니다.
ISBN 978-89-349-1370-2 (07810)

좋은 독자가 좋은 책을 만듭니다. 김영사는 독자 여러분의 의견에 항상 귀 기울이고 있습니다.
전자우편 book@gimmyoung.com | **홈페이지** www.gimmyoungjr.com

12화

킹더랜드

자, 그럼 잠깐 쉬고 10분 뒤 다시 시작합시다.

네~

얘들아, 오늘 저녁 피자 어때?

끝내주는 화덕 피자 집 알아냈어!

오! 난 갈래!

난 알바 때문에….

아, 맞다. 오늘 카페 알바 가는 날이었지?

아쉽다.

근데⋯

너 그 알바저에 이상한 놈 있다고 하지 않았나?

카페 와서 몇 시간씩 너만 쳐다본다는 놈?

아, 그 사람⋯.

요즘도 그래? 점장한텐 얘기해 봤어?

손님이기도 하니까, 점장님도 뭐라 하긴 어려우신가 봐.

하긴. 그런 놈 괜히 잘못 건드리면 더 위험하고⋯.

차라리 대놓고 들이대면 대놓고 거절하면 되는데⋯.

난 그것도 싫어.

아니면 소개팅 할래? 남친 있으면 스토커 떼낼 수 있잖아.

애매하네. 나도 주의해서 지켜볼게.

그런 이유로 사람 만나고 싶진 않⋯

그럼 나는 어때?

끼익

저 사람
또 왔네.

사랑아,
괜찮겠어?

알바 요일
바꿔줄까?

그래,
나랑 바꾸자.

그럼 저야
감사하죠.

시트가
어딨더라…,
잠시만.

주문이요.

네! 주문 도와 드리겠습니다!

아이스 아메리카노 라지 두 잔 주세요.

드시고 가세요?

네.

포인트 적립 하시겠어요?

아뇨.

삐반…

투구

엥? 야!
난 초고 프라페
휘핑크림 가득
얹어서라니까?

그냥
주는 대로
먹어.

헉~

전역했대서
일부러
보러 왔건만.

실망이다,
구연.

GOO

누가 그래래?
집에 가려던 거
굳이 만나겠다고
한 게 누군데.

사랑아,
오늘은
뒷문으로
퇴근해라.

네?

저 손님,
아직도 있어.

밖에서
마주칠 수도
있겠다.

쉬러 가는
척하면서
몰래 나가.

아…
알겠습니다.

빼꼼

휴...

저벅

저벅

어둑

빨리
가야겠다.

힐끔

스윽

혹시나 했는데
이쪽으로
나왔네요.

흠칫

· 13화 ·

킹더랜드

이거 완전
또라이
아니야?

뭐, 뭐야?
너는!

파
악

난 니가
더 궁금하다.

와~ 진짜
이런 새끼가
있네.

알바생분,
괜찮아여?

그, 그럼
그렇다고
진작 말을 하지.
사람 헷갈리게…

말했잖아요!

에이 씨,
시간만
날렸네. 이상한
여자 땜에.

어럴녕

……

저 새끼
안 쫀 척
튀는 것 봐.

ㅋㅋㅋㅋ

다친 덴
없으세요?

네,
네에….

꼭
와주세요!

아,
너 졸업하면
갈 일 없지
않나?

그러게.

뭐,
진짜?

사랑아,
다친 덴
없지?

응, 멀쩡해.
좀 놀라긴
했지만.

진짜 경찰
불를
뻔했잖아.

우리
어제 피자 먹고
너희 카페 가려다
말았는데,

들러서 같이
퇴근할 걸
그랬다.

도와주신
분이 계셔서
정말 천운이네,
천운이야.

끄덕

괜찮아, 잘
해결됐으니까.

그러니까
웃음 흘리고
다니지 말랬지?

괜히 엄한 놈이 꼬이잖아!

아무한테나 웃고 그럼 못써!

??

상열 선배?

오빠가 지켜줄 테니까 오늘부터 나랑 사귀자!

알겠지?

앞으로 이 오빠한테만 웃어.

츤 웅~

야,
나가자.

응?

너
조졌어.

엥?
뭐가?

닥치고
걍 나가자고,
ㅅㅂ.

…….

사랑아,
너 구해줬다는
사람 연락처는
물어봤어?

언급조차 없이
화제 전환.

그럴 정신이
없었어.

아쉽다,
괜찮은 사람
같은데.

거기 알바는
계속할 거야?

스토커가
또 오면
어떡해?

어제
분위기로 봐선
안 올 것 같아.

그리고 점장님이
시급도 더 쳐주신대.
남자 알바생도
더 채용하고.

너같이
우수한 아이를
보낼 수 없어!

그리고…
그분도
한 번 더
보고 싶고.

군인이었다며.
휴가 나온 거면
당분간은 안 오지
않을까?

아.
그럴 수도
있겠네…

꼭 사례하고
싶었는데…

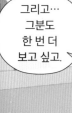

친구들의 말대로
계절이 여러 번
바뀌었지만…

그분을
만날 수는
없었다.

어휴,
사랑이 없으면
손님 몰릴 때
누가 빼주니….

하하

취준은
잘돼가?

네. 열심히
이력서 내보고
있어요.

누가
사랑이 데려갈지
거기 사장님이
부럽다.

ㅋㅇ

결국
안 오셨네.

그분….

네?

너 도와준 사람, 계속 기다렸던 거 아냐?

에이~ 점장님 좋아서 있었던 거예요.

짜식, 기특한 소리.

인연이 아니었나 봐요.

뭐, 어쩌면 왔었는데 제가 못 알아본 걸 수도 있구요.

밤이라서 제대로 본 건 실루엣 정도라….

·**14**화·

킹더랜드

뭐?

킹 호텔에
지원했다고?

응.

거기…

불안하면 우리랑 연습해 볼래?

뭐? 갑자기?

맞아! 이 언니들이 봐줄게!

이왕 연습하는 거 제대로 해야지.

정장 꺼내봐!

여기 있나?

벌컥

야, 잠깐…!

합격!

아직 아무것도 안 했거든?

서 있는 모습, 합격!

지원자, 웃어보세요!

스마일 100점! 합격!

팟

저기요, 진지하게 해줄래요?

우린 진지해!

어느새 관람 모드.

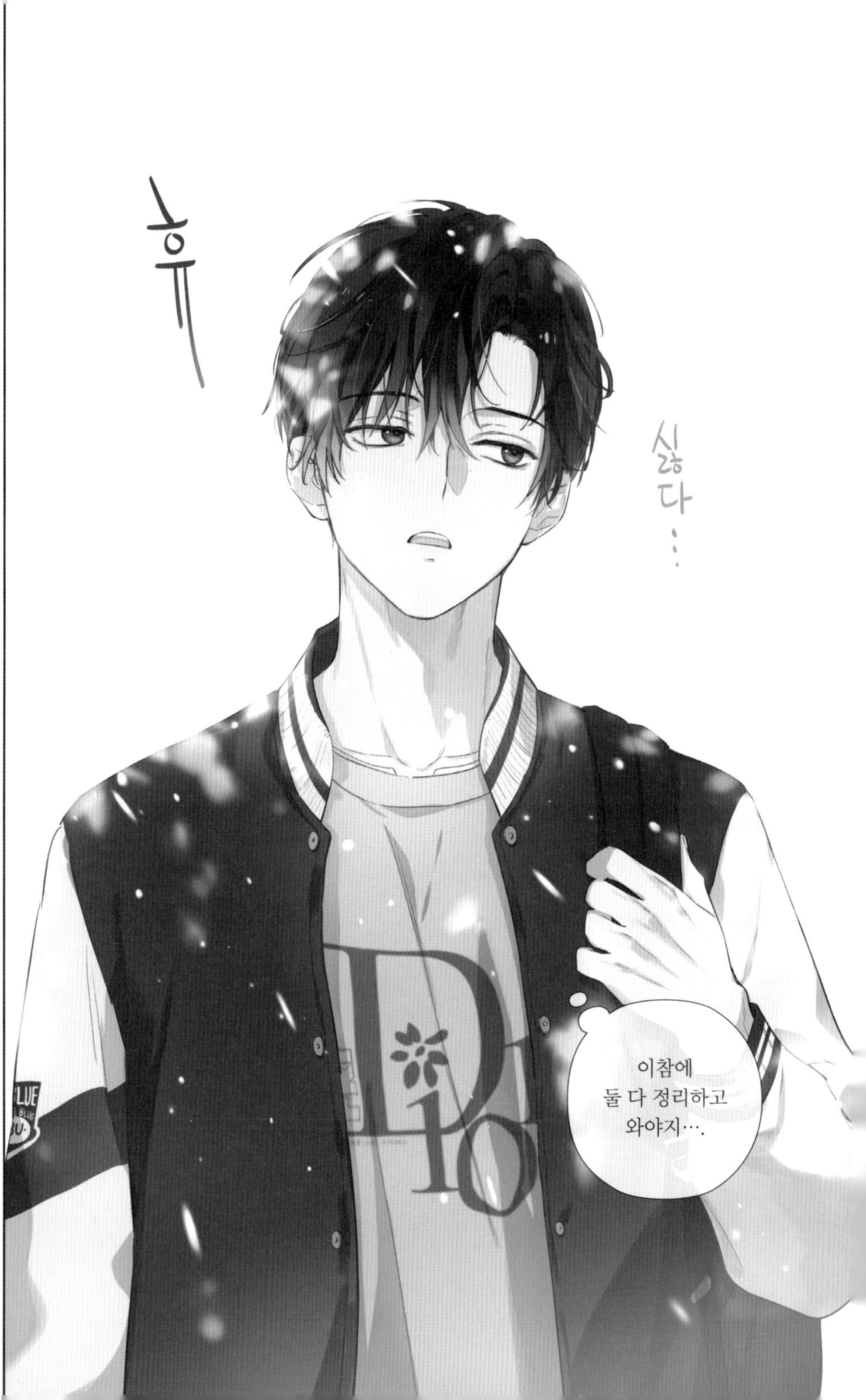
후
싫다…
이참에
둘 다 정리하고
와야지….

좋아.
가자!

벌컥

멈칫

엄마.

나
면접 잘 보고
올게요.

킹 호텔 공채
××기 제1면접장

○○○번
천사랑 님,
들어오세요.

……

으흠…

집으로
모시겠습니다.

털썩

왜?
우리 호텔로
갈 거야.
방 없대?

회장님께서
오늘 저녁은
다 같이 하자고
말씀하셨습니다.

하하...

아오, 제대로
얹히겠네.

그럼 출발
하겠습니다.

· **15**화 ·

킹더랜드

너 뭐 하는
놈이야?!

힘내자!

불끈!

또각
또각

좋아요.
고객 감동은 미소로 시작합니다.

따라 해 보세요.

헤르메스.

우리 킹 호텔에서만 볼 수 있는 하이엔드 명품 스마일,

싱긋

헤르메스.

미소는 가장 강력한 무기이자 방패예요.

아름답게 헤르메~스!

짝짝

헤르메~스!

일회용치곤
쓸데없이
예쁘네.

일회용이요?

한 달 쓰고
버리는
너 같은 인턴
말이야.

아,
저기도
닦아.

후-
줄-
끈~

ㄲ오오오오
오오
오오

손님들
운동하며 생긴
습기 닦는 게
다 네 일이야.

아, 아냐!
웃자!

헤르메스!

뭐가 좋다고
그렇게 웃어?

근무 중에는
항상 '헤르메스'
하라고
하셔서요.

그건
호텔에서나
하는 얘기지.

여기도 호텔이잖아요.

호텔은 로비부터. 거기는 유니폼, 우리는 찜질복인 거 보면 몰라?

하늘이 두 쪽 나기 전엔 못 올라가.

나도 여기 틀어박힌 지 5년째야.

그래도 선배님은 정규직 이잖아요.

맞아. 여긴 정규직 되는 것도 어렵지.

나니까 가능한 거야.

우쭐

저도 선배님처럼 되고 싶어요. 열심히 할게요!

흠흠

뭐, 열심히 하다 보면 기적이 생길 수도 있겠지.

일단 저기도 닦아. 반짝반짝 눈부시게.

네, 반짝반짝 눈이 부시게 닦겠습니다!

· 16화 ·

킹더랜드

어…?

어어어?!

객실 키

지금 나를 뭘로 오해한 거야?!

멀쩡하게 생겨서 티셔츠는 이상한 거 입고!

등에 호랑이 있는 고객이 너 주래. 내가 너 팁 심부름을 해야 하니?

쓰읍~ 하~

쐬익 쐬익

달칵

완전 변태야, 변태!

익스큐즈 미?

이사님, 연락도 없이 어쩐 일로….

왜. 내가 못 올 곳에 왔나?

그럴 리가요. 모든 게 이사님 건데요.

인턴 천사랑

무슨
안내를
했죠?

아,
안녕하십니까!

호텔 해피 아워
이용에 대해
물으셔서 설명해
드렸습니다.

똑같이
나한테
안내해 봐요.

저희 킹 호텔에서는
오후 세 시부터 다섯 시까지
라운지에서 가벼운 스낵,
커피 또는 차를 무료로
제공하고 있으니
많은 이용 부탁드립니다.

…디파짓
받을 때
주의 사항은?

죄송합니다.
실습생이라
아직 그런
부분은….

디파짓
주의 사항으로
첫째,

예약자분 성명과
카드 성명이 맞는지
확인하고

둘째, 카드
뒷면에 서명이 되어
있는지도 확인해야
합니다.

이 직원,
로비로 올려.

?!

네?

못 들었어?
로비로
올리라고.

이사님,

저 직원은
2년제 출신입니다.
한 달짜리
실습생이고요.

그래?
그럼 1년 더
시켜봐.

네?

로비는
호텔 얼굴이야.

웃는 얼굴이
보기 좋잖아.

……。

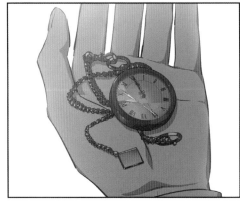

벌컥

손님방에
막 들어오네?

체크아웃
시간 다 됐어.

이 호텔
서비스 좋은데?
체크아웃 시간도
직접 알려주고.

다음
고객을 위해서
방 치워야
하거든.

나도 아직은 고객인데 너무하는 거 아냐?

컴플레인 걸면 어쩌려고.

해보든가. 내 호텔은 진상 대응 매뉴얼도 철저하거든.

언제부터 누나 호텔이었어?

곧 내 것이 될 거야. 호텔도, 항공도, 유통도 전부 다.

그래, 알았어.

잘해봐.

난 간다.

탁

훗

응.
잘 가.

· **17**화 ·

킹더랜드

뭐,
뭐 문제
있어요?

……?!

한국행
비행기
끊어.

네?

오늘 제 방에
웨이크업 콜
넣어준 사람이
누군지 알 수
있을까요?

네,
접니다.

혹시 불편 사항
있으셨나요?

저분은…

스위트룸
투숙객이시잖아?

컴플레인이라도
걸린 건가?

?!

꼬옥~

전 세계
호텔을 다니며
다양한 웨이크업 콜
서비스를 받았지만

내가 부른 노래로
잠을 깨워준 곳은
여기 호텔이
처음이에요.

마치 20년 전
프리마돈나였던
나로 돌아간 것
같았어요.

오페라
무대를 떠난 지가
언젠데, 날 알아봐
주다니….

음악을 사랑하는 사람 중에 당신을 모르는 사람이 있을까요?

저희 호텔을 찾아주셔서 영광입니다.

오래된 나를 기억해 줘서 고마워요.

이제 내가 당신을 오랫동안 기억할게요.

세뇨리타, 사랑.

우와…. 역시 2년 연속 베스트 탤런트…!

간만에
얼굴 보니
좋구나.

그렇게
들어오라 해도
꿈적도 않더니.
무슨 바람이
분 게야?

그냥요.

오랜만에
한국 오니
어떠냐.

똑같죠,
뭐.

바로 답하는 걸 보니 생각해 둔 게 있나 보구나.

알았다, 해봐!

이제 원이도 누나랑 같이 경쟁하면서 올라오거라.

경쟁은요. 원이 처음 출근하는 건데 제가 도와줘야죠.

그래. 먼저 시작했으니 그 정도는 해줘야겠지.

아무튼, 난 능력만 볼 거다.

너희 둘 중 누구라도 후계자가 될 수 있지만 둘 다 안 될 수도 있어.

네.
알겠습니다.

두 번 말하게
하지 마라.
엄마 제사 전까지
집으로 들어와.

그리고 원이 너,
호텔에서 묵지 말고
집에서 다녀.

전 호텔이
편해요.

어떤
엄마요?

전 엄마
얼굴도 모르고,
죽었는지 살았는지도
모르는데요.

......

아버지 기분 좋으셨는데 좀 맞춰드리지 그랬어.

대책 없는 건 너희 엄마랑 똑같네.

그렇게 싫으면 계속 호텔에 있어. 아버지껜 내가 잘 말씀드릴게.

안 타요?

알아서
갈게.

같이 가요.

우산도
없잖아요.

따라오지
마.

팍

됐어요.
이런 날 소주
한잔할 친구도
없으면서.

척!

·18화·

킹 더 랜드

이건 대체
언제 고칠
거예요?

고쳐
준다니까….

냅둬.

이리 줘.

인상 좀
펴세요.
첫 출근인데.

내가 제일
싫어하는 게
그런 가식이야.

아닌 척,
좋은 척,
웃는 척!

가식이 아니라
사회생활이라고
합니다.

거실이 우리 집보다 더 크네.

오, 찾았…

여긴 없는 것 같고….

…어?

끈적~

얼룩

뭐야, 잉큰가?

볼펜? 만년필?

화장실, 화장실.

후다닥

벌컥

결국 다시 왔잖아.

만년필은 왜 갑자기 터져가지고.

싹 다 갈아입어야겠네.

노상식 다녀올 동안 계속 한 방에 있는 것보단 낫나?

가족이라도 규정은 지켜야지, 등본은 두통이다?

이력서

깐깐

등본

저벅

사와 아아

콩

?!!

편히 쉬세요, 고객님.

뭐 저런 여자가 다 있어?

이봐! 내 얘기 아직 안 끝났어!

죄송하지만 저는 더 이상 할 얘기가 없습니다.

그리고 그때나 지금이나 고객님께 코털만큼도 관심 없으니 따라오지 마시고요.

관심 있어서 이러는 거 아니거든.

지자증

문이
닫힙니다.

뭐
저런 놈이
다 있어?!

·19화·

킹덤랜드

아오!
저 변태
싸가지.

살다 살다
별꼴을
다 보네!!

ㅠㅠ

문이
열립니다.

스르륵

?!

까짝

두둥!

또 마주치기만
해봐, 아주 내 손에
죽었어!

두둥!!

그럼 이상으로
구원 본부장님
취임식을 마치고,

킹 호텔
베스트 탤런트
천사랑 직원이
환영의 꽃다발을
전달하겠습니다.

두둥?!

환영합니다,
본부장님.

돌아가세요,
구원 씨.

안 돼요.

됩니다, 받아주세요.

그때만큼 당황스럽다.

주말은 한가할 예정입니다.

이미 직장이 있으신데 주말 알바가 가능하시겠어요?

그리고 투잡 시대니 열심히 살아야죠.

킹 호텔 사장님이 무슨 투잡이에요. 안 그래도 바쁘신 분이.

그러니까 더 해야죠.

와중에 등본까지 떼왔네, 두 통이나.

…다음 주부터
출근하시죠.

감사합니다,
사장님!

열심히
하겠습니다.

저렇게 웃는 건
반칙이야….

싸랑~~!
우리 왔어!

와!
멋지다!

정말
잘 꾸며놨네!

너희도
대단하다.
첫 예약을
해내다니.

나름 경쟁
치열했는데.

예약자명 보고
깜짝 놀랐네.

다 같이
광클했어.

우리가
첫 예약 해야지.
천사랑 호텔
1호점인데!

적금, 퇴직금에
네 영혼까지
갈아 넣었구나.

아
~

한옥
인테리어가
쉽지 않았을
텐데.

킹 호텔의 정점.
킹더랜드에
올라가고서야
보였다.

내가
꿈꾸던 호텔은

이곳에
없다는 걸.

'호텔 아모르'에
오신 것을
환영합니다.

20화

킹더랜드

몽글 몽글

푹하하하하

ㅋㅋㅋㅋ

거봐, 내가
뭐랬어~!

사랑아,
일어나게 좀
도와줘.

응.

에잇!!

확

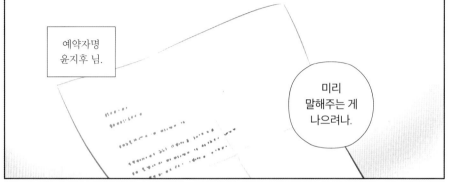

예약자명
윤지후 님.

미리
말해주는 게
나으려나.

뭐 하니?
느려 터져서.

빨리
안내해.

에에에엥?

여긴
무슨 일로….

놀러
왔어요!

게스트
하우스에 올
다른 이유가
있어?

정식으로
예약했는데
문제라도?

아니,
아니!

척

들어가자,
누나!

지후도
이리 와.

사랑이 누나!
저 왔어요!

어머나!
벌써 왔어?!

어서
오세요!

속도 좋아.

· 21화 ·

킹더랜드

어서오세요! 아모르에 오신 것을 환영합니다.

오시는 길은 어렵지 않으셨나요?

웰컴 푸드와 차 준비되어 있습니다.

삼촌, 누나, 놀자!

어… 체크인 해드려야 하는데….

괜찮으니 놀아줘요.
오히려 고맙지.

뭐 하고 놀까?

누나랑 마당 구경할래?

응!

여기까지 와서 일해?

내가 너처럼 한가한 줄 알아?

좀 쉬란 소리지….

타다닥 타닥

설레 설레

지후야, 오늘 저녁은 바비큐야.

고기 좋아하지?

응! 좋아해! 먹을래!

삼촌이 준비할 동안 누나랑 놀고 있어.

응~!

네가 바비큐를 해?

네. 합니다~

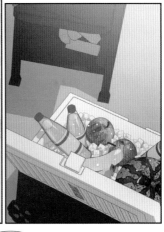

그럼, 다 하지.

불 피우는 것도 하니?

화르륵

기웃

먹을 수 있는 건 맞아?

아~ 가만히 앉아서 기다리시죠.

이따 놀라지나 말고.

이상한 거 먹일까 봐 그러지.

이상한 거라니!

사이 좋다, 그지?

의심

누나도
먹어!

와,
고마워!

지후야,
누나가 아니라
숙모.

숙모?

삼촌이랑 결혼할 거니까 숙모라고 불러야지.

그렇구나. 그럼 외숙모!

!!

외…

나 새우도 먹을래!

으, 응! 그래.

?

어색

분위기가 왜 이래.

짹 짹

2:15

◀ 멋진 프로포즈
ㅅ 멋진 프로포즈 멘트
ㅅ 프로포즈 방법
ㅅ 프로포즈 타이밍
ㅅ 프로포즈 필수 아이템

오빠,
뭐 해?

깜짝!

아,
아무것도!

조심해서 내려와!

아직 안 내려가!

얏!

?

왜?

조카라 그런가 오빠랑 지후 닮았네요.

그런가?

응, 닮았다.
오빠도 어릴 때
저렇게 귀여웠어?

난 더
점잖았지.

어흠

옛날부터
잘난 척
했구나.

내가 무슨
잘난 척을 해?
난 잘난 거야!

알았으니
청소나 하세요,
잘난 알바생.

폰은
그만 보고.

아, 그립다.
나도 어릴 때
저렇게 나무도 타고
놀았었는데.

나무
타면서?

응.

다
놀았으면
내려와.

응!

ㅋㅋㅋ

나무 타는 여자가
내 이상형인데.

이상형이
뭐가 그래?

고등학교 때
친구 놈들이랑
이상형 얘기하다
나도 모르게 그렇게
대답했었거든.

덕분에
놀림감이 됐었지.

놀릴 만하네.
오빠 첫사랑이
나무 잘 탔었어?

......

그러고 보니
뭔가
떠올랐었는데….

여보세요?
듣고 계세요?

아님
두 번째?

세 번째?

안녕?
난 천사랑이야.

사랑아,
결혼하자.

내
마지막 사랑이
되어줘.

반짝반짝
반짝반짝

그래, 나무! 나무 보면 떠오르는 거 없어?

저 나무 비쌌어…

그런 거 말고!

?

외숙모! 선물!

엇? 이거 엄청 비싼 거 아니야?

초콜릿이 비싸봤자 초콜릿이지. 싫어해?

아뇨, 좋아해요!

지후야, 저기 가서 같이 먹을까?

제대로 된 초콜릿도 안 사줬니? 좀 사다놔라.

끙

맞아, 초콜릿 좋아했지….

왜, 왜 그렇게 봐?

나 보면 생각나는 거 없어?

응??

뭔가 추억 속~ 아스라한~~

많지. 특히 좋지 않은 걸로….

마, 말고! 더 옛날!

읆…

아

으음….

이런 장면 본 적 있는 것 같은데….

나무 타는 여자가 내 이상형인데.

언제지?

분명… 어릴 적에…

엄마가 어떤 부잣집에서 일할 때…

오빠.

놀러 가서….

우리… 알지?

『킹더랜드』끝.

· 후기 ·

안녕하세요,
스푼입니다!

처음 뵙는
독자분들도
또 뵙는 독자분들도
반갑습니다!

<킹더랜드>를
읽어주셔서
정말 감사드립니다.

손기락

원이와 사랑이는
행복해졌습니다.

후기에 어떤 내용을 넣을까 하다가
들어온 질문이나 궁금하신 듯한 부분에 대한
답을 그려보기로 했습니다.

Q. 킹더랜드를 그린 이유?

전작이 로맨스 판타지여서
전작부터 봐 주신 독자분들께서
궁금하셨던 것 같아요.

~성과 꽃과 드레스의 장르~

킹더랜드를 그리게 된
이유는 이러합니다.

원래 영상물에
관심이 있었던 스푼.

친척, 가족

요새 만화들
tv 나오던데
네 것도 나오니?

이런 질문도 종종 들은 터라

작품을 위한 미팅 자리마다 질문했습니다.

영상화 일은
없을까요?

혹은
영상화가
될 수 있을 만한
작품이요.

 네?

 a.사

b사   영상이요?

 c사   이건 어떠세요?

d사   의외시네요.

e사   ·· etc

↑ 망태기에
가져오신 작품들

남성향
정치 드라마

원작 만으로 영상화가
될지는 가능성의 영역이지요.
현대 로맨스의 경우 기대할 수 있지만
그만큼 체급 있는 작품들은
이미 웹툰 진행 중이거나 준비 중.

전작에서
오리지널 각색으로
힘들었기 때문에
오리지널 스토리
쓰는 건 무섭다.

역시
로판인가….

그러던 중

마침
이런 기획이
있는데요….

킹더랜드

제작이 진행 중이던
드라마 작품의
홍보 격 웹툰 기획을
만났습니다.

개인적인 사정으로
빠르게 복귀할 수 있는
작은 볼륨 작품을 원했는데

이대로 마냥 독자분들을
기다리게 할 순 없고.

귀엽고 발랄한 〈로맨스 코미디〉 드라마!

대본 또한 이미 나와 있다!

홍보 격이므로 편 수도 많지 않다!

주연은 윤아 님과 준호 님이세요.

2PM 준호 님

소녀시대 윤아 님

할래요!!

결정!! 슈퍼스타!

한류를 견인하는

이렇게 연이 닿게 되었습니다.

대본도 매우 재밌었다.

~막간 자랑~

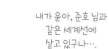

대본에 사인받았어요.

내가 윤아, 준호 님과 같은 세계선에 살고 있구나….

엄마! 나 성공했어!

방영된 드라마를 보는 것도 색다른 재미였습니다.

분위기가 상당히 다르네?

더 가볍고 코믹해졌어.

같은 대본도 이렇게 다르게 연출할 수 있구나. 정말 많은 걸 배웠습니다.

Q. 스토리가 왜 드라마와 다른가?

유출에 민감한 방송 특성상 내용이 미리 공개되면 안 되기 때문입니다.

일종의 엠바고

저도 몰랐습니다.

오리지널을… 해야 한다고요?

제일 피하고 싶었던 방향

그래서 대본을 그대로 쓰지 않는 방향으로 〈킹더랜드〉를 쓰신 최롬 작가님께서 같이 고민해 주셨어요.

아기를 잘 그리시네요. 아이 시절을 그리는 건 어떨까요?

못 써드려 죄송해요.

이거 괜찮나?

이 프로젝트에 누가 되지 않을까?!

많은 고민과 고뇌 끝에 지금 형태가 되었습니다.

같이 아이디어도 내주시고, 좋은 피드백으로 첨삭도 해주신 심혜정 PD님 감사합니다.

Q. 갑작스러운 내용 점프

송구합니다.

홍보 웹툰으로 공지되어 있었으므로
독자분들에 대한 안내가
부족했음을 인지하지 못했습니다.

웹툰으로 보는 걸
기대해 주셨던 독자분들께
죄송합니다.

Q. 앞으로의 예정?

아직 예정은 없지만
아마도 장르는…

힐끔

두려운 현실

일단 완결했으니 나중에.

촤

그럼 여기까지
읽어 주셔서
감사합니다.

항상 정성을 담아
만화를 만들고 있습니다.

사 랑

조금이라도 즐거우셨다면
더 바랄 것이 없습니다.

응원과 감상 정말 큰 힘이 됩니다.
제가 얼마나 독자분들 생각을 많이 하는지
아마 모르실 거예요. 항상 감사드립니다.

언제나 행복하세요.
스푼 드림.